Sir Wilfrid Laurier Public School
160 Hazelton Avenue
Markham, ON L6C 3H6

OÙ EST LE CHIEN ?

Un livre Dorling Kindersley

Pour Henry

Édition originale : *Spot a Dog*
Dorling Kindersley Limited
9, Henrietta Street, Londres, WC2E 8PS, Grande-Bretagne
© 1995 Dorling Kindersley Limited, Londres
Texte : © 1995 Lucy Micklethwait

Pour l'édition française
© 1996, Bayard Éditions
3, rue Bayard - 75008 Paris

Traduction française : Paragraphe
22, rue de Monttessuy - 75007 Paris

Loi 49956 du 16 juillet 1949
sur les publications destinées à la jeunesse
ISBN : 2 227 70 472 1

Où est le chien ?

Œuvres choisies par Lucy Micklethwait

BAYARD ÉDITIONS

Oh ! regarde
le gros chien !

Auguste Renoir, *Madame Georges Charpentier et ses enfants*

Petit chien,
où es-tu ?

Jan Steen, *Femme à sa toilette*

Quel joli chien :
il a trois couleurs !

Peter Blake, « *Bonjour, Mr Hockney* »

Où se cache
le chien ?

Pierre Bonnard, *La tarte aux cerises*

Voilà un chien très gai !

George Stubbs, *Le phaéton du prince de Galles*

Peux-tu trouver
un chien
tout timide ?

Edgar Degas, *La classe de danse*

Ce chien
est affamé !

Anonyme français, *La Cène*

Où est donc le chien ?

Bruegel l'Ancien, *Le repas de noces*

Quel drôle
de chien noir !

Lawrence Stephen Lowry, *Groupe de personnages*

Où est
le chien blanc ?

Fernand Léger, *La partie de campagne*

Trouve un chien
tout plat.

Pablo Picasso, *Les trois musiciens*

Où est donc
le chien ?

Attribué à Andrea del Verrocchio, *L'ange et Tobie*

Ici on voit un gros chien,
et là-bas un petit chien.
Cherche aussi un léopard,
un chameau et une vache.
Et les singes, les vois-tu ?
Et l'âne ?
Et que trouveras-tu encore
si tu continues à regarder ?

Gentile da Fabriano, *L'adoration des Mages*

Liste des œuvres d'art

Oh ! regarde le gros chien !
Auguste Renoir (1841-1919),
artiste français
Madame Georges Charpentier et ses enfants
1878, huile sur toile, 154 x 190 cm
Metropolitan Museum of Art, New York
Catharine Lorillard Wolfe Collection

Petit chien, où es-tu ?
Jan Steen (1626-1679), artiste hollandais
Femme à sa toilette
1663, huile sur toile, 64,7 x 53 cm
Royal Collection, St. James's Palace,
Londres

Quel joli chien : il a trois couleurs !
Peter Blake (né en 1932),
artiste britannique
"Bonjour, Mr Hockney"
1981-1985, huile sur toile, 97,8 x 123,8 cm
Tate Gallery, Londres

Où se cache le chien ?
Pierre Bonnard (1867-1947),
artiste français
Après dîner, ou *La tarte aux cerises*
1908, huile sur toile, 115 x 123 cm
Collection privée

Voilà un chien très gai !
George Stubbs (1724-1806),
artiste britannique
Le phaéton du prince de Galles
1793, huile sur toile, 102,2 x 128,3 cm
Royal Collection, St. James's Palace,
Londres

Peux-tu trouver un chien tout timide ?
Edgar Degas (1834-1917),
artiste français
La classe de danse
1874, huile sur toile, 85 x 75 cm
Musée d'Orsay, Paris

Ce chien est affamé !

Artiste français, école de Picardie,
XVe siècle
La Cène
Retable de la chartreuse de Thuizon, près
d'Abbeville
V. 1480, huile sur toile, 117,2 x 50,9 cm
Art Institute of Chicago
Mr. and Mrs. Martin A. Ryerson Collection

Où est donc le chien ?

Bruegel l'Ancien (v. 1525- v. 1569),
artiste hollandais
Le repas de noces
V. 1567, huile sur toile, 114 x 163 cm
Kunsthistorisches Museum, Vienne

Quel drôle de chien noir !

Lawrence Stephen Lowry (1887-1976),
artiste britannique
Groupe de personnages
1959, aquarelle, 35,5 x 25,4 cm
Salford Museum and Art Gallery, Salford

Où est le chien blanc ?

Fernand Léger (1881-1955),
artiste français
La partie de campagne
1954, huile sur toile, 245 x 300 cm
Fondation Maeght, Saint-Paul

Trouve un chien tout plat.

Pablo Picasso (1881-1973),
artiste espagnol
Les trois musiciens
1921, huile sur toile, 200,7 x 222,9 cm
Museum of Modern Art, New York
Mrs. Simon Guggenheim Fund

Où est donc le chien ?

Attribué à Andrea del Verrocchio
(v. 1435-1488), artiste italien
L'ange et Tobie
V. 1470-1480, peinture *a tempera* sur bois,
84 x 66 cm
National Gallery, Londres

Ici on voit un gros chien...

Gentile da Fabriano (v. 1370-1427),
artiste italien
L'adoration des Mages
1423, peinture *a tempera* sur panneau,
300 x 282 cm
Uffizi, Florence

Couverture
Pierre Bonnard
La tarte aux cerises (détail)
Dos
Lawrence Stephen Lowry
Groupe de personnages (détail)
Page de faux titre
Artiste français inconnu
La Cène (détail)

Page de copyright
Auguste Renoir
Madame Georges Charpentier
et ses enfants (détail)
Page de titre
Bruegel l'Ancien
Le repas de noces
Pages de la liste des œuvres d'art
Edgar Degas, *La classe de danse* (détail)
Gentile da Fabriano,
L'adoration des Mages (détail)

Remerciements

L'éditeur remercie les personnes
et les institutions suivantes qui ont autorisé
la reproduction des œuvres dans cet ouvrage :